T. Marin

Ascolto
Avanzato

**Materiale per la preparazione alla
prova di comprensione orale e lo
sviluppo dell'abilità di ascolto**

Livello superiore

© Copyright edizioni EdiLingua
Moroianni 65 12133 Atene
Tel./fax: ++30-1-57.33.900
www.edilingua.it
e-mail address: info@edilingua.it, edlingua@hol.gr

I edizione: agosto 2000
Impaginazione e progetto grafico: EdiLingua
Registrazioni ed elaborazione sonora: Studio *Echo*
I.S.B.N.: 960-7706-31-5

L'editore è a disposizione degli aventi diritto non potuti reperire; porrà inoltre rimedio, in
caso di cortese segnalazione, ad eventuali omissioni o inesattezze nella citazione delle fonti.

Vorrei ringraziare gli amici colleghi che, utilizzando in classe questo materiale e condividendo con me le loro preziosi osservazioni, hanno contribuito in modo decisivo alla creazione del libro.

ai miei cari

T. Marin ha studiato lingua e letteratura italiana presso le Università Aristotele di Salonicco e degli Studi di Bologna. Ha maturato la sua esperienza didattica insegnando presso varie scuole d'italiano. È autore di diversi testi per l'insegnamento della lingua italiana: *Progetto italiano 1* e *2*, *La Prova Orale 1* e *2*, *l'Intermedio in tasca*, *Ascolto Autentico*, *Ascolto Medio* ed ha curato la collana *Video italiano*. Ha tenuto varie conferenze sulla didattica dell'italiano come lingua straniera e sono stati pubblicati numerosi suoi articoli sullo stesso argomento.

edizioni EDILINGUA

T. Marin - S. Magnelli **Progetto italiano 1**
Corso di lingua e civiltà italiana. Livello elementare - intermedio

T. Marin - S. Magnelli **Progetto italiano 2**
Corso di lingua e civiltà italiana. Livello medio

S. Magnelli - T. Marin **Progetto italiano 3**
Corso di lingua e civiltà italiana. Livello superiore

A. Cepollaro **Video italiano 1**
Videocorso italiano per stranieri. Livello elementare - intermedio

A. Cepollaro **Video italiano 2**
Videocorso italiano per stranieri. Livello medio

T. Marin **La Prova orale 1**
Manuale di conversazione. Livello elementare - intermedio

T. Marin **La Prova orale 2**
Manuale di conversazione. Livello medio - avanzato

A. Moni **Scriviamo! 1**
Attività per lo sviluppo dell'abilità di scrittura. Livello elementare - intermedio

M. Zurula **Sapore d'Italia**
Antologia di testi. Livello medio

T. Marin **Primo Ascolto**
Corso per la comprensione orale. Livello elementare - intermedio

T. Marin **Ascolto Medio**
Corso per la comprensione orale. Livello medio

T. Marin **Ascolto Avanzato**
Corso per la comprensione orale. Livello superiore

T. Marin **l'Intermedio in tasca**
Preparazione alla prova scritta. Livello intermedio

INDICE

PREMESSA

L'insegnamento dell'ascolto: particolarità, problemi e soluzioni

Tra le abilità linguistiche, la comprensione orale è forse quella meno esercitata e, quindi, meno sviluppata dagli studenti d'italiano, benché costituisca la base della comunicazione. I motivi sono le metodologie tradizionali, da una parte, e le difficoltà nel trovare il materiale adatto, dall'altra. I risultati di tale strategia sono più che evidenti: gli studenti spesso non sono capaci di individuare suoni autentici (parlanti nativi, televisione, radio ecc.) dopo uno o due anni di studi e quindi di comunicare veramente in un ambiente italiano. Così non vengono preparati per le situazioni reali e non raggiungono l'autonomia linguistica desiderata, quello che è appunto lo scopo dell'insegnamento di una lingua straniera.

D'altra parte, l'ascolto è un'abilità che si può sviluppare meglio attraverso la ripetizione, la quale dà allo studente la possibilità di familiarizzare pian piano con i suoni stranieri (intonazione, accento ecc.). Si tratta quindi di un'abilità che richiede molto tempo in classe, oppure che può essere esercitata anche individualmente.

L'autentico: importanza, problemi e benefici

Negli ultimi tempi l'importanza della comprensione orale è stata sicuramente rivalutata: non è considerata solo la base della comunicazione ma è anche importantissima tra le prove degli esami di lingua di tutti i livelli. D'altra parte, però, è diffusa un'errata convinzione secondo la quale è sufficiente qualsiasi contatto con la lingua straniera indipendentemente dalla qualità del materiale utilizzato. Così si è costruito un tipo di lingua falsificata, artificiale, poco naturale e spontanea che priva lo studente di un contatto con la lingua viva, parlata, autentica. C'è la tendenza quindi a proporre allo studente dialoghi costruiti, recitati, semplificati, proprio a causa della considerazione che lo studente debba capire tutto quello che ascolta. La delusione che prova lo studente quando, dopo due o più anni di studio, non riesce a capire un parlante nativo, una trasmissione televisiva o una canzone, è molto forte, poiché ha la sensazione di aver imparato una lingua diversa da quella che desiderava o di cui aveva bisogno.

Quello di cui ha bisogno lo studente di ogni livello è un contatto con la lingua che ascolterebbe se vivesse in Italia. Bisogna cercare quindi di avvicinare, quanto possibile, la lezione a quello che si chiama *"immersione totale"*, dando allo studente la possibilità di abituare l'orecchio ai suoni autentici italiani.

D'altra parte la parola "comprensione" non deve essere intesa nel suo senso assoluto. Una delle particolarità dell'uso di materiale autentico è l'insoddisfazione e l'insicurezza che spesso crea allo studente, il quale dopo aver ascoltato un brano, pensa di non aver capito niente perché "non ha capito tutto", cosa che può succedere anche ad un parlante nativo. Allo studente va spiegato quindi che *anche capire poco è molto importante*, soprattutto nelle prime fasi dell'apprendimento. Del resto, scopo di un'esercitazione non è portare subito lo studente ad una comprensione completa (a meno che non si tratti di un brano molto facile), ma fornirgli gli spunti per migliorare ascoltando e riascoltando.

La ripetizione non porta solo ad una comprensione ogni volta migliore: ascoltando più volte un brano lo studente si abitua all'intonazione e all'accento, al modo di parlare particolare degli italiani. D'altra parte, è molto importante dare allo studente la possibilità di ascoltare un numero sufficiente di voci diverse e quindi di accenti e modi di parlare diversi. In *Ascolto Avanzato* si ascoltano circa 60 voci diverse!

Preparare insegnando

Ascolto Avanzato è pensato per studenti che hanno completato circa 180-200 ore di lezione. Questo significa che i testi selezionati presentano delle difficoltà sia per quanto riguarda gli argomenti trattati, sia per le esercitazioni che li corredano.

È, comunque, importante tranquillizzare lo studente spiegando che non è indispensabile individuare subito ogni singola informazione. Ascoltando un brano dovrebbe capire ogni volta di più, per arrivare alla fine (dopo 2, 3 o più ascolti) ad una comprensione sufficiente, tale da permettergli di rispondere alle esercitazioni proposte. Ogni esercizio costituisce anche uno spunto per ascoltare cercando di individuare elementi diversi ogni volta e non va visto rigorosamente come un test. Scopo allora dell'insegnante non è solo di controllare ma anche di stimolare e incoraggiare, cosa importantissima soprattutto quando lo studente troverà una registrazione troppo difficile dopo un primo ascolto. Gli studenti che usano *Ascolto Avanzato* hanno la possibilità di ascoltare i testi anche individualmente quante volte credono necessario.

Questo tentativo dello studente di capire non è per niente un'attività passiva: si arriva ad una comprensione graduale formulando delle ipotesi su quanto ascoltato, cercando di combinare gli elementi più o meno comprensibili. Queste ipotesi vengono confermate o meno ogni volta che si ascolta un brano. Del resto le esercitazioni proposte seguono un piano sistematico e logico, mentre i testi sono ordinati secondo una difficoltà progressiva.

La preparazione alla prova di comprensione orale

Scopo principale di *Ascolto Avanzato*, oltre a sviluppare l'abilità di comprensione orale, è ovviamente preparare gli studenti d'italiano ad affrontare con successo la prova di ascolto dei vari diplomi di lingua, quali le Certificazioni delle Università di Perugia (CELI 4 e 5) e di Siena (CILS 3 e 4), o altri simili. A questo scopo i testi sono corredati da esercitazioni di tipo scelta multipla, individuazione di informazioni esistenti o meno e completamento con le parole mancanti. In tutto ci sono 44 prove simili a quelle dei suddetti esami. L'insegnante può decidere se seguire o meno l'ordine in cui vengono proposte le esercitazioni; p.e. non è necessario svolgere l'esercizio di completamento sempre per secondo (e, quindi, dopo due ascolti).

I criteri di scelta

Tutti i brani sono stati selezionati molto accuratamente tra una grande quantità di registrazioni della radio e della televisione italiana, tenendo conto del livello e della qualità della lingua usata, da una parte, e dell'interesse di ogni testo, dall'altra. Quest'ultimo va inteso sempre in rapporto con la cultura italiana, di cui si è cercato di presentare quanti più aspetti possibili: cinema, musica, moda, cucina, storia moderna, libri, tecnologia, ambiente, cronaca, teatro, televisione, usi e costumi.

Un altro fattore preso in considerazione è stato il registro, il modo di parlare. Infatti, si è cercato di presentare una pluralità di registri, di accenti, di intonazioni e di voci diverse, come avrete la possibilità di constatare ascoltando la cassetta. Attraverso i 30 testi del libro lo studente si troverà a contatto non solo con la realtà italiana, ma anche con la lingua viva e naturale, cosa che non ha spesso la possibilità di fare.

Il glossario

Le parole più importanti e difficili di ogni testo vengono presentate e spiegate in modo quanto più semplice possibile. Lo studente può consultare il glossario quando lo ritiene necessario, preferibilmente nella fase di verifica delle risposte date. L'insegnante potrà così evitare di dedicare tempo prezioso alla spiegazione del lessico nuovo.

Buon lavoro
l'autore

ASCOLTO AVANZATO

PRIMA PARTE

TESTI 1 - 15

1. L' Europa

Ascolterete Giuliano Amato, noto politico ed ex primo ministro italiano, parlare dell'Europa agli alunni di una scuola media.
Glossario a p. 54

1. *Ascoltate il testo una o due volte e indi-cate con una X l'affermazione corretta tra le quattro proposte.* Non preoc-cupatevi se non capite tutto

1. Secondo Amato, l'Europa è molto importante per

- ☐ a. gli anziani
- ☐ b. i giovani
- ☐ c. gli italiani
- ☐ d. i tedeschi

2. Suo cognato

- ☐ a. non era italiano
- ☐ b. aveva comprato una casa in Germania
- ☐ c. aveva avuto qualche problema in Germania
- ☐ d. era molto ricco

3. Per un'impresa l'Europa è importante perché ora

- ☐ a. si rivolge a molti più consumatori
- ☐ b. può avere prezzi più alti
- ☐ c. deve avere prezzi più bassi
- ☐ d. diventa tutto automatico

4. Secondo Amato, uno degli aspetti positivi dell'Europa Unita è che

- ☐ a. i suoi cittadini sono diventati più ricchi
- ☐ b. sono calati i prezzi dei vari prodotti
- ☐ c. si usa solo una moneta, l'euro
- ☐ d. è molto più facile spostarsi

2. *Riascoltate, se necessario, il testo e verificate le vostre risposte*

Risposte giuste: /4

2. Italiani e fast food

Cosa pensano gli italiani del fast food?
Alla domanda rispondono alcuni clienti.

Glossario a p. 54

1. *Ascoltate il testo due volte. Durante il secondo ascolto completate le frasi con le parole mancanti (massimo quattro).* Non preoccupatevi se non capite tutto

1. Allora, eccolo qua il tanto vituperato fast food, ...
.... di Luca Gentile.

2. È andato, ha trovato dei clienti, ...
.... per il cibo e, come diceva la nostra giovane amica, per il costo.

3. È "easy", cioè è facile: ....;
è senza impegno, non è come un ristorante che è impegnativo.

4. *Nel 2000 noi non mangeremo più,* ....
.... *con ragù, prenderemo quattro
pillole con gran semplicità, la fame sparirà.*

5. Vengo a passar mezz'ora, prendo un tè, leggo ....
.... e sono a posto.

6. Eh, perché ....; e poi
abbastanza bene, in fretta.

7. Tutto sommato non è cattivo, cioè è buono, e poi penso anche ....
...., cioè è molto più sbrigativo.

8. Le patatine sono buone, il ....,
e che cosa? Il gelato lo stesso è buono.

2. *Riascoltate, se necessario, il testo e verificate le vostre risposte*

Risposte giuste: /8

Ascolto Avanzato

3. Oroscopo

Ascolterete le previsioni per i dodici segni dello zodiaco.
Glossario a p. 54

1. *Ascoltate il testo due volte. Durante il secondo ascolto indicate con una X se le informazioni sono presenti o no nel testo. Non preoccupatevi se avete parole sconosciute*

	Sì	No
1. **Ariete**: Incontrerete persone sulle quali potrete contare.	❏	❏
2. **Toro**: Agite prima che sia tardi.	❏	❏
3. **Gemelli**: Problemi in vista in campo sentimentale.	❏	❏
4. **Cancro**: Realizzerete a tutti i costi i vostri desideri.	❏	❏
5. **Leone**: Scontri in vista con chi ha idee diverse dalle vostre.	❏	❏
6. **Vergine**: Discutete apertamente e tutto si semplificherà.	❏	❏
7. **Bilancia**: I vostri sforzi saranno riconosciuti.	❏	❏
8. **Scorpione**: Difficoltà in vista se non agite subito.	❏	❏
9. **Sagittario**: Vi aspetta un'opportunità inattesa.	❏	❏
10. **Capricorno**: Attenzione! Spese in aumento.	❏	❏
11. **Acquario**: Le vostre decisioni non sorprenderanno nessuno.	❏	❏
12. **Pesci**: Bisogna essere più ottimisti.	❏	❏

2. *Riascoltate, se necessario, il testo e verificate le vostre risposte*

Risposte giuste: /12

4. Moda e arte

Laura Biagiotti, stilista italiana famosa in tutto il mondo, parla del rapporto tra moda e arte.

Glossario a p. 54

Laura Biagiotti
ROMA

1. *Ascoltate il testo una o due volte e indicate con una X l'affermazione corretta tra le quattro proposte.* Non preoccupatevi se non capite tutto

1. Secondo quello che dice il giornalista, Laura Biagiotti

☐ a. ha più volte dimostrato il suo interesse per l'arte
☐ b. non si era finora occupata dell'arte
☐ c. ha lei stessa dipinto dei bellissimi quadri
☐ d. ama occuparsi personalmente del restauro di opere d'arte

2. Secondo Laura Biagiotti,

☐ a. l'arte deve molto alla moda
☐ b. la moda deve molto all'arte
☐ c. la moda e l'arte hanno poco in comune
☐ d. i capi che disegna si ispirano all'arte

3. La sua azienda

☐ a. tra l'altro, vende anche opere d'arte in tutto il mondo
☐ b. spende ciò che guadagna dalla vendita di profumi a favore dell'arte
☐ c. spende tutti i suoi utili a favore dell'arte
☐ d. si chiama "Biagiotti - Cigna"

4. La stilista dice che queste iniziative

☐ a. sono anzitutto un'ottima promozione per i suoi prodotti
☐ b. sono per lei una grande soddisfazione
☐ c. si devono purtroppo interrompere
☐ d. sono un buon investimento

2. *Riascoltate il testo e completate le frasi con le parole mancanti (massimo quattro)*

1. Recentemente ha finanziato il restauro della Cordonata, ...
.... a Roma.

2. È importante questo rapporto tra la moda e, diciamolo, le ....
....?

3. Io chiamo sempre la moda, come dire, il figlio ....

4. Però all'arte deve moltissimo e, quindi, in qualche modo ....
....

5. Far conoscere di più diciamo ....
dei quali noi ci avvaliamo in qualche modo, portando avanti il nome dell'
Italia nel mondo.

6. Ma io credo che ci siano delle affinità ....

2. *Riascoltate, se necessario, il testo e verificate le vostre risposte*

Risposte giuste: /10

Cordonata: la scalinata che unisce Piazza Venezia al Campidoglio, opera di Michelangelo

5. La sai l'ultima?

Ascolterete due barzellette.
Glossario a p. 54

1. *Ascoltate il testo una o due volte e indicate con una X l'affermazione corretta tra le quattro proposte*. *Non preoccupatevi se non capite tutto*

1. Nella prima barzelletta il vero problema dell'uomo è che

☐ a. soffre da anni d'insonnia
☐ b. sua moglie ha portato a casa un gorilla
☐ c. ha una moglie molto brutta
☐ d. è molto brutto

2. Nella seconda barzelletta

☐ a. entrambi i protagonisti sono ricchi
☐ b. entrambi sono poveri
☐ c. il carabiniere è benestante
☐ d. il finanziere non ha problemi economici

3. Il finanziere confessa al carabiniere che

☐ a. quella rapina al furgone della banca l'aveva organizzata lui
☐ b. aveva rubato il decimo sacco
☐ c. aveva rubato tutti e nove i sacchi
☐ d. rubando uno dei sacchi è riuscito a fare tante cose

4. Il carabiniere, a sua volta, dice al finanziere che

☐ a. rubando uno dei sacchi è diventato ancora più povero
☐ b. rubando uno dei sacchi è diventato ricco
☐ c. aveva cambiato i sacchi
☐ d. aveva rubato un sacco e per questo è finito in carcere

2. *Riascoltate, se necessario, il testo e verificate le vostre risposte*

Risposte giuste: /4

6. Alberto Sordi
e la pasta

Alberto Sordi è stato, insieme a Totò, il comico più grande e popolare, un vero mito per gli italiani. Qui, ormai in età avanzata, parla del suo piatto preferito. Attenzione: è possibile che dopo l'ascolto... vi venga fame.

Glossario a p. 54

1. _Ascoltate il testo due volte. Durante il secondo ascolto indicate con una X se le informazioni sono presenti o no nel testo. Non preoccupatevi se non capite tutto_

	Sì	No
1. Alberto Sordi mangia sempre primo e secondo piatto.	❏	❏
2. Non beve molto vino a tavola.	❏	❏
3. La domenica ama preparare un abbondante piatto di pasta.	❏	❏
4. Sulla pasta mette di solito poca ricotta.	❏	❏
5. Non sta molto attento alla sua dieta.	❏	❏
6. Non mangia mai carne.	❏	❏
7. La sua è una ricetta famosa.	❏	❏
8. La pasta la metterebbe all'inizio di un menù.	❏	❏

2. _Riascoltate, se necessario, il testo e verificate le vostre risposte_

Risposte giuste: /8

Alberto Sordi (a destra) con Vittorio De Sica in una scena da "Il conte Max" (1957)

7. Navigatori italiani

Giovanni Soldini, uno dei navigatori più famosi al mondo, parla di un altro italiano che - ufficialmente - fu il primo ad attraversare l'Atlantico: Cristoforo Colombo!
Glossario a p. 54

Giovanni Soldini

1. *Ascoltate il testo una o due volte e indicate con una X l'affermazione corretta tra le quattro proposte.* Non preoccupatevi se non capite tutto

1. Giovanni Soldini

☐ a. non naviga mai da solo
☐ b. ha fatto diciotto volte il giro del mondo
☐ c. ha attraversato più volte l'Atlantico in barca a remi
☐ d. ha attraversato più volte l'Atlantico in barca a vela

2. Secondo Soldini, l'impresa di Colombo

☐ a. era difficile perché a quei tempi l'oceano era diverso
☐ b. era difficile perché non c'erano abbastanza informazioni
☐ c. non era tanto difficile perché il tempo era buono
☐ d. non era tanto difficile grazie alle carte che aveva Colombo

3. Le caravelle, ovvero le navi che utilizzò Colombo

☐ a. erano troppo grandi
☐ b. non si manovravano con facilità
☐ c. si manovravano con estrema facilità
☐ d. non avevano nessun problema a risalire il vento

4. Se Soldini fosse vissuto ai tempi di Colombo,

☐ a. non sarebbe salito sulle sue caravelle
☐ b. probabilmente ci sarebbe salito, nonostante i pericoli
☐ c. non avrebbe avuto lo spirito d'avventura che ha oggi
☐ d. forse sarebbe stato lui a scoprire l'America

2. _Riascoltate il testo e completate le frasi con le parole mancanti (massimo quattro)_

1. Allora, cosa La colpisce di più di questa impresa di Colombo, dal punto di .... proprio?

2. Senza sapere neanche se in mezzo alla notte .... prua della barca.

3. Tra l'altro Lei dorme ...., però sa che nell'oceano non c'è niente in cui andare a scontrarsi.

4. Sono barche, comunque, che si manovrano con .... barche moderne.

5. Insomma, erano operazioni sicuramente, se non altro, molto ....

6. Perché lo spirito d'avventura che ha oggi, forse .... in passato. Grazie, Soldini.

3. _Riascoltate, se necessario, il testo e verificate le vostre risposte_

Risposte giuste: /10

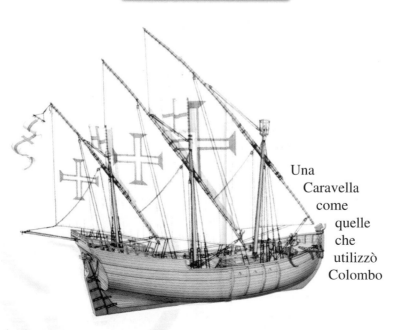

Una Caravella come quelle che utilizzò Colombo

8. Cinema e criminalità

Ascolterete un brano, tratto da un talk show, sulla delinquenza
e il suo rapporto con il cinema.

Glossario a p. 55

1. *Ascoltate il testo una o due volte e indicate con una X l'affermazione corretta tra le quattro proposte*. *Non preoccupatevi se non capite tutto*

1. Il conduttore della trasmissione accusa soprattutto

    ☐ a. la stampa
    ☐ b. la magistratura
    ☐ c. il cinema e la televisione
    ☐ d. il cinema e la politica

2. Il regista che interviene

    ☐ a. respinge ogni accusa
    ☐ b. alza le mani
    ☐ c. accusa a sua volta gli sceneggiatori
    ☐ d. ammette che la colpa è del cinema

3. Secondo il conduttore, un tempo

    ☐ a. i film erano ancora più violenti
    ☐ b. i film erano meno violenti
    ☐ c. non c'erano affatto scene di violenza
    ☐ d. non c'erano molti delinquenti

4. Il conduttore dice che, invece, negli ultimi tempi

    ☐ a. più le scene sono violente e più i delinquenti diventano violenti
    ☐ b. più i film sono violenti e più la gente li vede
    ☐ c. il cinema racconta la realtà
    ☐ d. il cinema non propone più immagini troppo violente

5. Il regista risponde che

    ☐ a. non è contrario a ciò che sostiene il conduttore
    ☐ b. il cinema semplicemente racconta le cose così come sono
    ☐ c. la colpa è più della letteratura
    ☐ d. il cinema non ha nessuna responsabilità

2. *Riascoltate, se necessario, il testo e*
verificate le vostre risposte

Risposte giuste: /5

Ascolto Avanzato

9. Il Festival di Sanremo

Ascolterete Gianni Morandi, da molti anni uno dei cantanti più amati dagli italiani, parlare del Festival di Sanremo e di alcuni dei suoi protagonisti.

Glossario a p. 55

1. *Ascoltate il testo due volte. Durante il secondo ascolto indicate con una X se le informazioni sono presenti o no nel testo. Non preoccupatevi se non capite tutto*

	Sì	No
1. Quando Domenico Modugno vinse a Sanremo, Morandi era già molto noto.	☐	☐
2. L'esibizione di Modugno era poco originale.	☐	☐
3. La madre di Morandi era una grande ammiratrice di Modugno.	☐	☐
4. Modugno cantò "Volare" a braccia aperte.	☐	☐
5. "Volare" è una canzone che ha segnato Gianni Morandi.	☐	☐
6. "Ciao, ciao, bambina", invece, non tanto.	☐	☐
7. Lo stesso Morandi ha vinto un festival di Sanremo.	☐	☐
8. Quel giorno morì un altro grande: Claudio Villa.	☐	☐
9. Claudio Villa e Gianni Morandi erano stati nemici.	☐	☐
10. Secondo Morandi, il festival di Sanremo ha aiutato molti cantanti a diventare famosi.	☐	☐

2. *Ascoltate il testo una volta e completate le frasi con le parole mancanti (massimo quattro)*

1. E quando arrivò Modugno sconvolse quelli che erano i canoni tradizionali della…, così della canzone ....

2. Forse Modugno fu anche per lei un ....

3. *Penso che un sogno così non ritorni mai più, mi dipingevo le mani e la faccia di blu, poi d'improvviso venivo* ....

4. Poi naturalmente insieme a Modugno ci sono tanti altri che la storia ....
....

5. Tra l'altro, quando io vinsi Sanremo nell'87, insieme ....
...., proprio quel giorno morì Claudio Villa.

6. E poi, ripensando agli ultimi festival di Sanremo, insomma, io penso quale .... di Ramazzotti, di Bocelli, di Laura Pausini.

3. *Riascoltate, se necessario, il testo e verificate le vostre risposte*

Risposte giuste: /16

Laura Pausini e
Andrea Bocelli:
entrambi conoscono
un
suc-
cesso
mon-
diale.
La carriera
di entrambi
è esplosa
dopo aver
vinto al
Festival
di Sanremo.

Ascolto Avanzato

10. Il risveglio dell'Italia dopo la guerra

Il testo tratta di alcune importanti tappe della rinascita economica e, soprattutto, culturale dell'Italia, uscita praticamente distrutta dalla seconda guerra mondiale. Glossario a p. 55

1. *Ascoltate il testo una o due volte e indicate con una X l'affermazione corretta tra le quattro proposte*. *Non preoccupatevi se non capite tutto*

1. La *Vespa* e la *Lambretta*

- ❏ a. erano due modelli della *Piaggio*
- ❏ b. erano due modelli della *Innocenti*
- ❏ c. non hanno avuto un gran successo
- ❏ d. avevano ognuna i propri sostenitori

2. Maria Callas era nata

- ❏ a. a Milano
- ❏ b. negli Stati Uniti
- ❏ c. in Grecia
- ❏ d. a Roma

3. Renata Tebaldi era

- ❏ a. amica intima di Maria Callas
- ❏ b. rivale di Maria Callas
- ❏ c. il più grande soprano del secolo
- ❏ d. americana

4. In "Roma città aperta" Roberto Rossellini racconta

- ❏ a. il dramma dei bambini abbandonati
- ❏ b. le bellezze di Roma
- ❏ c. gli orrori durante l'occupazione nazista
- ❏ d. l'eroismo dei nazisti durante l'occupazione italiana

5. "Ladri di biciclette"

- ❏ a. è il capolavoro di Roberto Rossellini
- ❏ b. fu il primo film che girò Vittorio De Sica
- ❏ c. è uno dei film più importanti nella storia cinematografica
- ❏ d. vinse il *Leone d'oro* al festival di Venezia

2. *Riascoltate il testo e completate le frasi con le parole mancanti (massimo quattro)*

1. Ora gli italiani, oltre a un mezzo di trasporto in più, hanno un altro motivo per dividersi nelle ....

2. A Milano Paolo Grassi e Giorgio Strehler fondano "Il Piccolo Teatro" che ridarà vita e ....

3. Gli italiani si divideranno per loro, come hanno già fatto per Bartali e Coppi, in ....

4. Poi aveva continuato Vittorio De Sica a portare il cinema in mezzo alla gente, raccontando il ...., gli "Sciuscià".

5. Ma il capolavoro di Vittorio De Sica e del neorealismo sarà "Ladri di biciclette", un dramma umano ....
a una bicicletta.

3. *Riascoltate, se necessario, il testo e verificate le vostre risposte*

Risposte giuste: /10

Fausto Coppi (a destra) e Gino Bartali (a sinistra) sono stati i più grandi ciclisti del mondo degli anni '40 e '50. I loro duelli divisero gli italiani in "coppiani" e "bartaliani".

Vittorio de Sica è stato uno dei più grandi registi del cinema mondiale, oltre ad essere anche un bravissimo attore. I suoi film hanno vinto tre volte l'Oscar come migliori film stranieri (*Sciuscià*, *Ladri di biciclette* e *Il giardino dei Finzi Contini*).

11. Italia, un paese di fumatori

Il testo tratta della situazione del fumo in Italia.
Glossario a p. 55

1. *Ascoltate il testo una o due volte e indicate con una X l'affermazione corretta tra le quattro proposte. Non preoccupatevi se non capite tutto*

1. In Italia la lotta contro il fumo

- ☐ a. è finita
- ☐ b. sta per cominciare
- ☐ c. sta per essere vinta
- ☐ d. finora non è stata molto efficace

2. Secondo l'Istituto Superiore di Sanità, in Italia

- ☐ a. tre milioni di persone sono dedite al tabagismo
- ☐ b. il fumo uccide milioni di persone all'anno
- ☐ c. il fumo uccide decine di migliaia di persone all'anno
- ☐ d. il fumo uccide novanta persone all'anno

3. Dei giovani tra i 14 e i 24 anni uno su cinque

- ☐ a. non fuma
- ☐ b. fuma
- ☐ c. non ha mai provato a fumare
- ☐ d. fuma solo sigarette italiane

4. Ora la lotta contro il fumo continuerà con

- ☐ a. il divieto di fumo nei luoghi pubblici
- ☐ b. l'aumento dei prezzi delle sigarette
- ☐ c. l'istituzione di centri antifumo e la formazione dei medici
- ☐ d. il lancio nel mercato di nuovi farmaci

2. *Riascoltate il testo e verificate le vostre risposte*

Risposte giuste: /4

12. Concorso di narrativa

Il testo tratta di un concorso di narrativa solo per donne.

Glossario a p. 56

1. *Ascoltate il testo due volte. Durante il secondo ascolto indicate con una X se le informazioni sono presenti o no nel testo. Non preoccupatevi se non capite tutto*

	Sì	No
1. Questo concorso si chiama "I colori della vita".	❏	❏
2. Il numero delle partecipanti è andato aumentando.	❏	❏
3. Il concorso non è a tema libero.	❏	❏
4. Vengono pubblicati solo i testi delle tre autrici premiate.	❏	❏
5. L'iniziativa per il concorso è del Ministero per i beni culturali.	❏	❏
6. Il concorso ha dato nuove possibilità di espressione.	❏	❏
7. Le concorrenti credono di avere spazio nei grandi giornali.	❏	❏
8. Il concorso è aperto anche a donne non italiane.	❏	❏
9. La vincitrice dell'anno scorso partecipava per la prima volta.	❏	❏
10. Le partecipanti sono in gran parte sconosciute come scrittrici.	❏	❏

2. *Riascoltate il testo e completate le frasi con le parole mancanti (massimo quattro)*

1. Propone di volta in volta un tema attorno a cui ruotano ....
   ....

2. Lo scopo era quello di consentire confronto e spazio a donne che spesso sono lasciate ai ....

3. Quest'anno abbiamo parecchie concorrenti dall'Uruguay, oltre che ....
   ....

4. Una collaboratrice di Radio Vaticana, Maria Luigia Ronco Valenti, che aveva già ....

3. *Riascoltate, se necessario, il testo e verificate le vostre risposte*

Risposte giuste: /14

Ascolto Avanzato

13. Gli italiani la mattina

Ascolterete un servizio che tratta delle abitudini mattutine degli italiani.

Glossario a p. 56

1. *Ascoltate il testo una o due volte e indicate con una X l'affermazione corretta tra le quattro proposte. Non preoccupatevi se non capite tutto*

1. Grazie al computer gli italiani

- ☐ a. si svegliano più presto
- ☐ b. si svegliano più tardi
- ☐ c. hanno riscoperto il piacere di scrivere
- ☐ d. leggono il giornale

2. Secondo un'indagine svolta da alcuni studenti perugini,

- ☐ a. solo il 13% degli italiani fa colazione
- ☐ b. il 13% degli italiani non fa colazione
- ☐ c. il 13% dei giovani italiani non fa colazione
- ☐ d. la maggior parte degli anziani non fa colazione

3. Oggi i giovani italiani

- ☐ a. fanno colazione in fretta
- ☐ b. dedicano alla colazione dieci minuti
- ☐ c. dedicano alla colazione più tempo dei nonni
- ☐ d. mangiano molto la mattina

4. La maggior parte dei ragazzi a colazione consumano

- ☐ a. prodotti confezionati
- ☐ b. latte
- ☐ c. pane con salame
- ☐ d. un espresso ristretto

5. I nonni, invece, a colazione consumano

- ☐ a. prodotti freschi
- ☐ b. prodotti confezionati
- ☐ c. una brioche e un succo di frutta
- ☐ d. ciò che resta dalla cena precedente

2. *Riascoltate il testo e completate le frasi con le parole mancanti (massimo quattro)*

1. La nuova mania d'inizio secolo a cui va il merito di aver segnato il ritorno
....

2. Anche se gli ultimi dati sulla lettura del quotidiano segnano un buon 80%
a ....

3. L'indagine conferma i dati nazionali, secondo cui il 13% degli studenti
non ....

4. In netto aumento naturalmente ....,
in genere i prodotti elaborati.

5. Stupendo i ragazzi ....
e fagioli alle 8 del mattino.

3. *Riascoltate, se necessario, il testo e verificate le vostre risposte*

Risposte giuste: /10

14. Pubblicità

Ascolterete quattro spot radiofonici.
Glossario a p. 56

1. *Ascoltate il testo una o due volte e indicate con una X l'affermazione corretta tra le quattro proposte. Non preoccupatevi se non capite tutto*

1. Il locale del primo spot

- ☐ a. è il solito pub
- ☐ b. si trova al centro di Roma
- ☐ c. è un posto dove si può anche mangiare
- ☐ d. si chiama "il gatto e il cane"

2. Il secondo spot interessa a chi

- ☐ a. vuole solo vendere la sua casa
- ☐ b. vuole solo affittare un appartamento
- ☐ c. vuole costruire una casa
- ☐ d. cerca una grande agenzia immobiliare

3. Il vantaggio di Via Sat è che

- ☐ a. aiuta a ritrovare le macchine rubate
- ☐ b. ha un prezzo molto basso
- ☐ c. permette la ricezione di canali televisivi via satellite
- ☐ d. chiama subito la polizia

4. A Scorpion Center

- ☐ a. si mangia bene
- ☐ b. si può solo ballare
- ☐ c. possono entrarci solo donne
- ☐ d. è necessario iscriversi

2. *Riascoltate, se necessario, il testo e verificate le vostre risposte*

Risposte giuste: /4

15. Umberto Eco parla dell'editoria

In questo testo Umberto Eco, famoso in tutto il mondo sia come docente di semiotica che come scrittore, autore di molti best seller (come p.e. "Il nome della rosa"), parla dei libri in genere.

Glossario a p. 56

1. *Ascoltate il testo due volte. Durante il secondo ascolto indicate con una X se le informazioni sono presenti o no nel testo. Non preoccupatevi se non capite tutto*

	Sì	No
1. La vendita dei libri è in calo.	❏	❏
2. Il libro non dipende da crisi economiche.	❏	❏
3. In Italia i libri sono troppo cari rispetto all'estero.	❏	❏
4. Il cinema o il ristorante costano più del libro.	❏	❏
5. Questo è un periodo critico per l'editoria in genere.	❏	❏
6. La crisi ha influito anche sull'ultimo libro di Eco.	❏	❏
7. Eco è relativamente soddisfatto delle vendite del suo libro.	❏	❏
8. Eco non conosce il mercato di libri degli Stati Uniti.	❏	❏
9. In America sono importanti le prenotazioni delle librerie.	❏	❏
10. Secondo il professore, il problema è prevalentemente italiano.	❏	❏

2. *Riascoltate il testo e completate le frasi con le parole mancanti (massimo quattro)*

1. L'Italia è ancora un Paese dove i libri costano .... Paesi, però sono cari.

2. Quindi è un momento molto difficile per ....

3. Sì, ma non lo so, forse cinque o sei anni fa ....

4. Per cui la salvezza sono le ....

3. *Riascoltate, se necessario, il testo e verificate le vostre risposte*

Risposte giuste: /14

Ascolto Avanzato

ASCOLTO AVANZATO

SECONDA PARTE

TESTI 16 - 30

16. Raffaella Carrà

Ascolterete Raffaella Carrà, un mito della televisione italiana, famosa in tutto il mondo, parlare del suo lavoro con Enzo Biagi, uno dei più grandi giornalisti italiani, raccontando anche un episodio divertente.

Glossario a p. 57

1. *Ascoltate il testo una o due volte e indicate con una X l'affermazione corretta tra le quattro proposte. Non preoccupatevi se non capite tutto*

1. Secondo Raffaella Carrà, per una donna all'inizio è difficile poter

- ☐ a. andare a cena con persone importanti
- ☐ b. essere presa sul serio
- ☐ c. capire ciò che gli altri dicono
- ☐ d. capire ciò che gli altri vogliono veramente

2. Quello che uno dovrebbe fare all'inizio della carriera è

- ☐ a. dire sempre "sì"
- ☐ b. non creare amicizie con i colleghi
- ☐ c. sfruttare al massimo la prima occasione
- ☐ d. essere amichevole

3. Di Roberto Benigni dice che

- ☐ a. non lo incontra quanto spesso avrebbe voluto
- ☐ b. non lo vuole incontrare mai più
- ☐ c. lo incontra molto spesso
- ☐ d. le piace, ma non più di tanto

4. In una trasmissione Benigni, come al solito,

- ☐ a. l'ha insultata
- ☐ b. se n'è andato di corsa
- ☐ c. si è spogliato
- ☐ d. ha cercato di spogliarla

2. _Riascoltate il testo e completate le frasi con le parole mancanti (massimo quattro)_

1. Ma il successo rende più liberi, o ....?

2. Però si può risolvere anche in altro modo, secondo me: una pizza con ....
....

3. Allora, se tu riesci ....
e te la giochi al massimo, poi ti guardano con occhi più professionali.

4. È questa la difficoltà che voi ....

5. Adesso è diventato troppo famoso nel mondo e, quindi, non mi ....
....

6. Stavolta è partito, è andato su per le scale di corsa, verso un gruppo di ra-
gazze che ....

3. _Riascoltate, se necessario, il testo e verificate le vostre risposte_

Risposte giuste: /10

A sinistra
la grande
showgirl
insieme
a Roberto
Benigni.
A destra
agli inizi
della carriera,
negli anni
'70, quando
conduceva
"Canzonissima".

17. L'Università di Pisa

Il brano tratta dell'Università degli studi
di Pisa e dei servizi offerti agli studenti.
Glossario a p. 57

1. *Ascoltate il testo due volte. Durante il
secondo ascolto indicate con una X se
le informazioni sono presenti o no nel
testo. Non preoccupatevi se non capite tutto*

	Sì	No
1. I problemi dell'Università di Pisa.	☐	☐
2. Collegamento dell'Università al mondo del lavoro.	☐	☐
3. Vari servizi di assistenza agli studenti.	☐	☐
4. Il programma dei corsi offerti.	☐	☐
5. Collaborazione tra docenti e studenti.	☐	☐
6. Internet caffè ad accesso libero.	☐	☐
7. Il numero di studenti iscritti.	☐	☐
8. Agevolazioni per studenti privi di mezzi.	☐	☐
9. Aumento delle tasse universitarie.	☐	☐
10. Assistenza a trovare alloggio.	☐	☐

2. *Riascoltate, se necessario, il testo e verificate le vostre risposte*

Risposte giuste: /10

18. Biblioteche italiane on line

Il brano tratta delle biblioteche italiane su Internet. Glossario a p. 57

Biblioteca italiana telematica

Lettura	Catalogo
Per leggere o interrogare un singolo testo, selezionandolo dall'elenco generale per autore e titolo.	Per esplorare la biblioteca attraverso tutti i possibili canali di accesso. Per selezionare e interrogare un insieme di testi con caratteristiche comuni.
Collezioni	**Ricerca avanzata**
Per selezionare e interrogare un'intera collezione di testi. Le opere in prosa di Primo Levi, I testi di Pisa, I testi di Ferrara, ecc	Per interrogare speciali insiemi di testi o ipertesti Ricerca Avanzata e con marcatori grammaticali, Enciclopedia petrarchesca, ecc.
OPAC biblioteche	Siti di italianistica
Altre biblioteche digitali	Per scriverci

1. *Ascoltate il testo una o due volte e indicate con una X l'affermazione corretta tra le quattro proposte. Non preoccupatevi se non capite tutto*

1. Le tre studiose stanno

☐ a. creando un archivio di articoli relativi alla letteratura italiana
☐ b. archiviando le più importanti opere della letteratura italiana
☐ c. raccogliendo gli scritti più importanti della letteratura mondiale
☐ d. mettendo in ordine i volumi più antichi della biblioteca dell' Università La Sapienza

2. Grazie a questo progetto sarà possibile consultare

☐ a. opere rare
☐ b. manoscritti
☐ c. i libri più venduti degli ultimi anni
☐ d. opere di giovani autori

3. La Biblioteca Italiana Telematica

☐ a. non permette l'accesso a distanza
☐ b. è attrezzata di numerosi pc che gli studiosi possono utilizzare
☐ c. ha sede a Pisa
☐ d. offre più possibilità di una vera biblioteca

4. Il CIBIT è

☐ a. una biblioteca telematica
☐ b. una biblioteca europea
☐ c. un'università telematica
☐ d. il sito dell'Università di Pisa su Internet

2. *Riascoltate, se necessario, il testo e verificate le vostre risposte*

Risposte giuste: /4

19. Vittorio Gassman

Ascolterete un servizio su uno dei più grandi attori del cinema e del teatro europeo, Vittorio Gassman (qui, giovane, in una foto con Totò), registrato poco dopo la sua scomparsa, dopo una vita vissuta appieno. Glossario a p. 57

1. *Ascoltate il testo due volte. Durante il secondo ascolto indicate con una X se le informazioni sono presenti o no nel testo*

	Sì	No
1. I timori di Gassman.	❏	❏
2. I problemi professionali.	❏	❏
3. I problemi psicologici.	❏	❏
4. Il suo carattere.	❏	❏
5. I suoi grandi amori.	❏	❏
6. I titoli di alcuni suoi film.	❏	❏
7. I grandi successi teatrali.	❏	❏
8. La recita della *Divina Commedia* di Dante.	❏	❏
9. Un giudizio sugli attori odierni.	❏	❏
10. I rapporti con i colleghi.	❏	❏

2. *Riascoltate il testo e completate le frasi con le parole mancanti (massimo quattro)*

1. Aveva combattuto per lungo tempo contro la depressione, il timore del vuoto, dopo il .... la sua vita.

2. Come Sordi, non ha mai ....

3. I suoi film sono pieni di questa vita mandata ....

4. Era capace di ...., personaggi alti e bassi.

3. *Riascoltate, se necessario, il testo e verificate le vostre risposte*

Risposte giuste: /14

20. In palestra

Ascolterete un servizio sulle palestre e il fitness in genere.
Glossario a p. 57

1. *Ascoltate il testo una o due volte e indicate con una X l'affermazione corretta tra le quattro proposte.* Non preoccupatevi se non capite tutto

1. Secondo la giornalista, andare in palestra

   ☐ a. non è per tutti
   ☐ b. è solo per chi è dotato di un bel fisico
   ☐ c. è soprattutto per chi è già in forma
   ☐ d. è ancora più necessario in vista dell'estate

2. La prima cliente dice che

   ☐ a. il punto più bello è l'inizio
   ☐ b. il bello viene quando si vedono i primi risultati
   ☐ c. andare in palestra non è una cosa piacevole
   ☐ d. non andrà mai più in palestra

3. Quando si comincia

   ☐ a. ci si sente un po' estranei
   ☐ b. si perdono subito i chili in più
   ☐ c. ci si sente subito bene
   ☐ d. si va sempre in fondo alla stanza

4. Un'altra difficoltà dell'inizio è

   ☐ a. non conoscere i nomi del personale
   ☐ b. che il personale non è tanto gentile
   ☐ c. che ci sono tante cose da imparare
   ☐ d. che non ci sono possibilità di scelta

2. *Riascoltate, se necessario, il testo e verificate le vostre risposte*

Risposte giuste: /4

21. Prosciutto, ma non di Parma

Il brano tratta del prosciutto
prodotto in Val d'Aosta.

Glossario a p. 57

Val d'Aosta

1. *Ascoltate il testo una o due volte e
indicate con una X l'affermazione
corretta tra le quattro proposte. Non
preoccupatevi se non capite tutto*

1. Aurelio Margaretta, l'uomo che viene intervistato, è

☐ a. l'unico in Italia a produrre questo tipo di prosciutto
☐ b. l'unico in Val d'Aosta a occuparsi della produzione di
prosciutto
☐ c. il presidente del Comune
☐ d. il presidente di una cooperativa di produttori di prosciutto

2. Il prosciutto di Val d'Aosta

☐ a. viene esportato in Spagna
☐ b. ha un sapore simile al prosciutto spagnolo
☐ c. ricorda il prosciutto di Parma
☐ d. è molto economico

3. Il gusto di questo prosciutto è diverso perché

☐ a. il clima della regione è molto favorevole
☐ b. i produttori usano tecniche nuove
☐ c. ha una stagionatura un po' più lunga
☐ d. ha una stagionatura molto breve

4. Questa cooperativa

☐ a. è già abbastanza grande
☐ b. è stata finanziata dallo stato italiano
☐ c. ha una grande produzione
☐ d. cerca di continuare la tradizione

5. In futuro

    ☐ a. si aprono nuove prospettive
    ☐ b. tutto sarà più difficile a causa della concorrenza
    ☐ c. pensano di esportare tutta la loro produzione in Europa
    ☐ d. pensano di abbandonare questa attività

2. *Riascoltate il testo e completate le frasi con le parole mancanti (massimo quattro)*

1. Che tipo di differenza proprio al gusto c'è tra questo prosciutto e gli altri ottimi, per altro .... ?

2. Il nostro è un gusto più marcato, anche perché ha ....
....

3. Siamo una piccola cooperativa, che in buona sostanza, con l'ausilio del Comune, si propone ....

4. All'orizzonte però c'è un allargamento ....

5. Il marchio di origine europea che ci apre anche ....
....

3. *Riascoltate, se necessario, il testo e verificate le vostre risposte*

Risposte giuste: /10

22. Accademia militare

Ascolterete un servizio su un concorso
per l'Accademia militare.
Glossario a p. 58

1. *Ascoltate il testo una o due volte e indicate con una X l'affermazione corretta tra le quattro proposte*. Non preoccupatevi se non capite tutto

1. La particolarità di questo concorso è che è

- ☐ a. il primo a cui possono partecipare solo donne
- ☐ b. il primo a cui possono partecipare anche donne
- ☐ c. il primo a cui partecipano tante donne
- ☐ d. aperto solo agli uomini

2. Le ragazze intervistate dicono che vogliono partecipare al concorso

- ☐ a. perché gli stipendi dell'Aeronautica sono molto alti
- ☐ b. per curiosità
- ☐ c. perché vogliono dimostrare di essere pari agli uomini
- ☐ d. perché diventare piloti è per molte un sogno

3. I posti sono

- ☐ a. equamente divisi tra uomini e donne
- ☐ b. 6.000 in tutto
- ☐ c. 136 in tutto
- ☐ d. 50 in tutto

4. Il concorso

- ☐ a. non è per niente facile
- ☐ b. prevede solo una prova scritta
- ☐ c. prevede solo una fase
- ☐ d. è appena terminato

2. *Riascoltate, se necessario, il testo e verificate le vostre risposte*

Risposte giuste: /4

23. Agenzia matrimoniale

Ascolterete brevi annunci tratti da
una trasmissione televisiva che fa
da agenzia matrimoniale.
Glossario a p. 58

1. _Ascoltate il testo due volte. Durante il secondo ascolto completate le frasi con le parole mancanti (massimo quattro). Non preoccupatevi se avete parole sconosciute_

1. 48enne vedova senza figli avuti, di Messina, insegnante ....
   ....

2. Max 55enne, con impiego, di ottima cultura, solo divorziando, senza figli avuti o ....

3. 38enne nubile di Marsala, diplomata ....
   ...., poliglotta, occhi celesti...

4. 53enne nubile di Messina, laureata, insegnante, ...
   ....

5. Cerca, per futura unione, max 62enne, solo celibe o vedovo, ...
   ....

6. 60enne divorziata di Giarre, ...
   giovanile, bionda con occhi celesti...

7. Conoscerebbe per convivenza max 70enne, ...
   ....

8. 68enne vedova senza vincoli, di Reggio Calabria, casa propria, ...
   .... conoscerebbe...

9. 44enne divorziata, con ....

10. Cerca dolce metà, max 55enne ....

2. _Riascoltate, se necessario, il testo e verificate le vostre risposte_

Risposte giuste: /10

24. Scioperi

Ascolterete un servizio su uno sciopero e le sue conseguenze.
Glossario a p. 58

1. *Ascoltate il testo due volte. Durante il secondo ascolto indicate con una X se le informazioni sono presenti o no nel testo. Non preoccupatevi se non capite tutto*

	Sì	No
1. Problemi negli aeroporti italiani.	☐	☐
2. Pernottamento di passeggeri in albergo.	☐	☐
3. Denunce e rimborsi dei biglietti.	☐	☐
4. Delusione dei passeggeri.	☐	☐
5. Comportamenti aggressivi.	☐	☐
6. Intervento delle forze dell'ordine.	☐	☐
7. Sciopero dei piloti.	☐	☐
8. Problemi tecnici e guasti ai motori.	☐	☐
9. Progetti del governo in merito.	☐	☐
10. Cancellazione di tutti i voli nazionali ed esteri.	☐	☐

2. *Riascoltate il testo e completate le frasi con le parole mancanti (massimo quattro)*

1. Il calvario negli aeroporti italiani è continuato fino ....
2. Si sono visti rinviare l'imbarco perché ....
3. È atterrato l'ultimo volo da Palermo, con quasi ....
4. Speriamo che cambi qualcosa, perché veramente ....
5. A Malpensa c'è stato anche chi ha tentato ....
6. Ha parlato di comportamenti irresponsabili ....

3. *Riascoltate, se necessario, il testo e verificate le vostre risposte*

Risposte giuste: /16

25. La stampa rosa in Italia

Il brano tratta delle riviste
scandalistiche in Italia.
Glossario a p. 58

1. *Ascoltate il testo una o due volte e
indicate con una X l'affermazione
corretta tra le quattro proposte. Non
preoccupatevi se non capite tutto*

1. In Italia la stampa rosa

- ☐ a. è in crisi
- ☐ b. ha circa diecimila lettori
- ☐ c. ha circa dieci milioni di lettori
- ☐ d. ha circa diciotto milioni di lettori

2. Secondo le persone che parlano, in Italia la stampa rosa

- ☐ a. è di altissimo livello
- ☐ b. non dovrebbe esistere
- ☐ c. può essere buona o cattiva, come ogni altro tipo di cronaca
- ☐ d. non è giornalismo

3. Un aspetto positivo della stampa rosa è che

- ☐ a. porta alla luce gli scandali della vita politica
- ☐ b. racconta in qualche modo le tendenze di ogni epoca
- ☐ c. è uno stimolo alla lettura
- ☐ d. dice sempre la verità

4. Secondo l'ultimo uomo che parla,

- ☐ a. la gente è sempre stata pettegola
- ☐ b. nel passato gli italiani non si occupavano degli affari altrui
- ☐ c. la stampa rosa si occupa solo di fatti piacevoli
- ☐ d. la stampa rosa si occupa solo di fatti tristi

2. *Riascoltate, se necessario, il testo e verificate le vostre risposte*

Risposte giuste: /4

26. Impatto ambientale

Il brano tratta delle misure per la protezione dell'ambiente.

Glossario a p. 59

1. *Ascoltate il testo una o due volte e indicate con una X l'affermazione corretta tra le quattro proposte. Non preoccupatevi se avete parole sconosciute*

1. La valutazione di impatto ambientale ha lo scopo di

    ❏ a. prevenire possibili danni sull'ambiente
    ❏ b. riparare i danni provocati all'ambiente
    ❏ c. ridurre il costo delle varie opere pubbliche
    ❏ d. facilitare la costruzione di nuove fabbriche

2. Si tratta di una procedura

    ❏ a. del tutto nuova
    ❏ b. non ancora applicata in Italia
    ❏ c. ideata in Italia
    ❏ d. ormai applicata in molti Paesi

3. Alla procedura di valutazione

    ❏ a. partecipa solo lo Stato
    ❏ b. partecipa solo chi propone l'opera
    ❏ c. partecipano tutte le parti interessate
    ❏ d. partecipano solo i cittadini

4. La decisione finale, comunque, viene presa

    ❏ a. da chi propone l'opera
    ❏ b. dalle organizzazioni ambientaliste
    ❏ c. dalla commissione per la valutazione di impatto ambientale
    ❏ d. dalle regioni

5. L'anno scorso

      ☐ a. tutti i progetti sono stati approvati
      ☐ b. alcuni progetti sono stati bloccati
      ☐ c. la maggior parte dei progetti sono stati rinviati
      ☐ d. la maggior parte dei progetti sono stati bocciati

2. *Riascoltate il testo e completate le frasi con le parole mancanti (massimo quattro)*

1. Quali effetti avrà sull'ambiente naturale e sugli esseri ....
....?

2. La prevenzione dall'inquinamento e la tutela ambientale ....
.... con le priorità tecniche ed economiche.

3. Chi propone l'opera deve presentare uno studio in cui vengono descritti ...
....

4. Negli altri casi, e sono l'85% del totale, la ....
....

5. Entro un mese possono presentare ....

3. *Riascoltate, se necessario, il testo e verificate le vostre risposte*

Risposte giuste: /10

27. Telefonini

Il brano tratta di telefoni cellulari.
Glossario a p. 59

1. *Ascoltate il testo due volte. Durante il secondo ascolto indicate con una X se le informazioni sono presenti o no nel testo. Non preoccupatevi se non capite tutto*

	Sì	No
1. Numero di telefonini venduti in Italia.	❏	❏
2. Caratteristiche tecniche dell'ultima generazione di telefonini.	❏	❏
3. Scoperta di una grande frode.	❏	❏
4. Vendita a prezzi molto bassi.	❏	❏
5. Società "fantasma" all'estero.	❏	❏
6. Vendita di telefonini falsi.	❏	❏
7. Effetti negativi dell'uso eccessivo dei cellulari.	❏	❏
8. Intervento della Guardia di Finanza.	❏	❏
9. Sequestro dei telefonini in questione.	❏	❏
10. Le pene imposte ai colpevoli.	❏	❏

2. *Riascoltate il testo e completate le frasi con le parole mancanti (massimo quattro)*

1. Un giro d'affari clamoroso, basato ....

2. Il trucco era .... l'IVA.

3. Dopo 3 - 4 mesi scomparivano nel nulla, ...

4. Parallelamente venivano presentate fatture false per avere ....

....

3. *Riascoltate, se necessario, il testo e verificate le vostre risposte*

Risposte giuste: /14

28. Rapina a mano armata

Ascolterete una testimonianza di una rapina a mano armata, per fortuna senza conseguenze mortali.

Glossario a p. 59

1. *Ascoltate il testo una o due volte e indicate con una X l'affermazione corretta tra le quattro proposte*. *Non preoccupatevi se non capite tutto*

1. L'uomo che parla è

    ☐ a. il commesso di un negozio di giocattoli
    ☐ b. il proprietario di una gioielleria
    ☐ c. un passante
    ☐ d. un impiegato di banca

2. Qualcuno è entrato con il pretesto di

    ☐ a. chiedere l'ora
    ☐ b. aver bisogno d'aiuto
    ☐ c. voler comprare qualcosa
    ☐ d. voler usare il telefono

3. Quando l'uomo che parla ha sospettato che qualcosa non andava bene,

    ☐ a. è corso fuori
    ☐ b. ha cercato di chiamare la polizia
    ☐ c. ha picchiato il ladro
    ☐ d. si è messo a urlare

4. I rapinatori

    ☐ a. avevano il viso coperto
    ☐ b. erano in tre
    ☐ c. non erano italiani
    ☐ d. parlavano in dialetto

Ascolto Avanzato

5. Approfittando di un momento di disattenzione, l'uomo è riuscito a

   ☐ a. disarmare il rapinatore
   ☐ b. tirare fuori la sua pistola
   ☐ c. buttarsi addosso al rapinatore
   ☐ d. correre fuori

6. Alla fine l'uomo

   ☐ a. ha arrestato da solo i due rapinatori
   ☐ b. è fuggito
   ☐ c. ha ferito i due rapinatori
   ☐ d. ha chiamato la polizia

2. *Riascoltate, se necessario, il testo e verificate le vostre risposte*

Risposte giuste: /6

29. Lucio Battisti:

Ascolterete un testo su "Emozioni", bellissima canzone cantata da Lucio Battisti e scritta da Mogol, due miti della musica italiana. Glossario a p. 60

Emozioni

Lucio Battisti
1943-1998

La vita, le fotografie, le canzoni, i misteri di un grande mito italiano

1. _Ascoltate il testo due volte. Durante il secondo ascolto indicate con una X se le informazioni sono presenti o no nel testo. Non preoccupatevi se non capite tutto_

	Sì	No
1. Il rapporto con la natura.	☐	☐
2. L'attraversare l'Italia in bicicletta.	☐	☐
3. Foto e filmati d'archivio.	☐	☐
4. Impressioni trasformate in versi.	☐	☐
5. Un concerto.	☐	☐
6. Il numero di dischi venduti.	☐	☐
7. Il modo di lavorare di Lucio Battisti.	☐	☐
8. Problemi tecnici nella sala di registrazione.	☐	☐
9. Una registrazione in diretta.	☐	☐
10. Titoli di altri successi di Battisti.	☐	☐

2. _Riascoltate, se necessario, il testo e verificate le vostre risposte_

Risposte giuste: /10

Lucio Battisti e Mogol (rispettivamente a sinistra e a destra), in una foto all'inizio degli anni '70: due persone che hanno segnato la storia della musica italiana. Il primo componeva la musica e cantava e il secondo scriveva bellissimi versi.

30. Eduardo de Filippo: "Non ti pago!"

Ascolterete un brano tratto da "Non ti pago!", opera di Eduardo de Filippo (1900-1984), uno dei più grandi commediografi del teatro mondiale, nonché attore eccellente.
Siamo a Napoli, dove vincere al lotto è il sogno di tutti. Don Ferdinando – interpretato dallo stesso De Filippo – sembra esserci finalmente riuscito.
Notate come, invece del 'Lei', si usa il 'Voi'.

Glossario a p. 60

1. *Ascoltate il testo una o due volte e indicate con una X l'affermazione corretta tra le quattro proposte.* Non preoccupatevi se non capite tutto

1. Il problema di Don Ferdinando è che

- ☐ a. ha perso il biglietto vincente
- ☐ b. sua moglie e sua figlia gli hanno rubato il biglietto vincente
- ☐ c. Mario Bertolini gli ha rubato il biglietto vincente
- ☐ d. Mario Bertolini sostiene che il biglietto vincente sia suo

2. All'inizio l'avvocato consiglia a Don Ferdinando di

- ☐ a. ritirare il premio
- ☐ b. restituire il biglietto a Mario Bertolini
- ☐ c. rivolgersi ai carabinieri
- ☐ d. mollare

3. A quanto pare, il biglietto l'ha giocato

- ☐ a. Don Ferdinando
- ☐ b. Don Ferdinando, ma con i soldi di Bertolini
- ☐ c. il padre di Don Ferdinando
- ☐ d. Bertolini

4. Don Ferdinando dice che a dare i numeri a Bertolini è stato

- ☐ a. lui
- ☐ b. suo padre
- ☐ c. Don Ciccio il tabaccaio
- ☐ d. sua moglie

5. Il biglietto in questione è stato vinto

      ☐ a. due anni prima
      ☐ b. diciotto anni prima
      ☐ c. qualche giorno prima
      ☐ d. l'anno precedente

6. Don Ferdinando dice che suo padre ha dato i numeri a Bertolini

      ☐ a. in sogno
      ☐ b. nella realtà
      ☐ c. poco prima di morire
      ☐ d. sabato scorso

2. *Riascoltate il testo e completate le frasi con le parole mancanti (massimo quattro)*

1. Adesso questo Mario Bertolini dice che ....

2. Il tradimento in casa, il sangue mio, ...

3. Ma il fatto di riconoscerVi un premio di 100.000 lire, ...
....

4. Caso mai, se questo Mario Bertolini dovesse agire legalmente, ...
.... questo Don Ciccio il tabaccaio.

5. Ma il biglietto in questione ....?

6. Allora lo dovreste sapere, come napoletano: i numeri chi li danno? I morti, solo i morti ....

3. *Riascoltate, se necessario, il testo e verificate le vostre risposte*

Risposte giuste: /12

Una scena da "Non ti pago!";
a sinistra Eduardo de Filippo,
nei panni di Don Ferdinando,
con l'avvocato.

Glossario

Dopo aver verificato le vostre risposte, consultate questo glossario e, se necessario, il vostro dizionario.

Abbiamo cercato di spiegare le parole più difficili di ogni testo nel modo più semplice possibile, dando ogni volta il significato che hanno nel determinato contesto in cui vengono incontrate.

Glossario

1. L'EUROPA

abolire: eliminare, togliere
manco: neanche
sgomentare: spaventare, impressionare

2. ITALIANI E FAST FOOD

congedarsi: salutare
sbrigativo: troppo rapido, frettoloso
temporaneamente: per un limitato periodo di tempo
vituperato: attaccato, preso di mira

3. OROSCOPO

accogliere: ricevere, accettare
aura: atmosfera
autoritario: prepotente, dispotico
cogliere al volo: prendere, afferrare qualcosa
complicare: rendere difficile
contagioso: che si trasmette da una persona all'altra
dissipare: far svanire
equivoco: ambiguo, sbaglio
estenuazione: stanchezza, debolezza
gestire: amministrare, portare avanti
imporre: ingiungere, comandare

imposizione: comando
in compenso: in cambio
malinteso: equivoco
ostacolare: contrastare, bloccare
portare a termine: concludere, finire
protestare: reclamare
resistere: sopportare, reggere
stupore: sorpresa, ammirazione
tentazione: desiderio, voglia

4. MODA E ARTE

affinità: analogia, somiglianza, relazione
al di là: oltre, fuori
avvalersi: giovarsi, servirsi
finanziare: sostenere con denaro un'attività
fondazione: istituzione
intellettivo: mentale
mecenate: chi finanzia lo sviluppo delle arti
privilegio: vantaggio
restaurare: riparare
restauro: riparazione
restituire: rendere, ridare
ricarica: nuova forza, nuova energia
sorellastra: sorella da parte di uno solo dei genitori
utili: guadagni, profitti

5. LA SAI L'ULTIMA?

cambiale: titolo di credi-

to, di una somma che dobbiamo pagare entro una data precisa
finanziere: esperto di problemi finanziari, economici
furgone: camion, veicolo di trasporti
incubo: brutto sogno
mettere su: iniziare un'attività, aprire un negozio ecc.
mo': ora, adesso
peloso: con molti peli
puzzolente: che ha un brutto odore
rincorrere: inseguire
sventare: evitare, neutralizzare

6. ALBERTO SORDI E LA PASTA

a conclusione di: alla fine di
bollente: molto caldo
gradevole: piacevole
indurre: convincere, spingere
involtini: fettine di carne arrotolate e farcite con vari ingredienti
pecoraio: pastore
polpettine: piatto preparato con carne macinata
ricotta: tipo di formaggio molle

7. NAVIGATORI ITALIANI

arduo: difficile, complicato

Glossario

in solitaria: da solo
manovrabilità: capacità di prestarsi a determinate manovre
manovrare: maneggiare
navigare: viaggiare per mare
pennone: antenna orizzontale che sostiene le vele di una barca
privo di: senza, sfornito di
prua: la parte anteriore di una barca
scontrarsi: urtarsi

8. CINEMA E CRIMINALITÀ

addebito: attribuzione, accusa
addossare: attribuire
attribuire: assegnare, dare
caricatore: serbatoio di cartucce per armi automatiche
colpo: sparo
componente: elemento
conflitto a fuoco: scambio di colpi d'arma da fuoco
delinquente: criminale
dissentire: non essere d'accordo
ispirarsi: trarre ispirazione, idea
magistratura: giustizia
malavitoso: persona appartenente alla malavita, delinquente
mettere le mani avanti: cercare scuse

osmosi: influenza reciproca, scambio
respingere: rifiutare
scaricare: svuotare
sparare: tirare, esplodere colpi con un'arma da fuoco

9. IL FESTIVAL DI SANREMO

Canzonissima: uno degli show più celebri e seguiti della storia televisiva italiana
coincidenza: combinazione, caso
commuovere: turbare, agitare
pugno: colpo a mano chiusa
sconvolgere: turbare, travolgere

10. IL RISVEGLIO DELL'ITALIA DOPO LA GUERRA

binomio: insieme di due cose o persone
contrapporsi: opporsi
dignità: orgoglio, onore
infiammarsi: appassionarsi
lanciare: introdurre, far conoscere
orrore: cosa molto brutta, che provoca spavento
rivalità: contrasto, antagonismo
sbarcare: fare scendere persone o cose da un'imbarcazione

svolgersi: accadere, aver luogo
valorizzare: arricchire, aumentare

11. ITALIA: UN PAESE DI FUMATORI

a dispetto: nonostante, senza prendere in considerazione
aggirarsi: avvicinarsi, approssimarsi
attrezzarsi: rifornirsi del necessario
avviare: iniziare, cominciare
campagna: propaganda, promozione
dannato: maledetto, infernale
dedito: prigioniero, schiavo
dì: giorno
dissuasione: il cercare di sconsigliare, di scoraggiare
formazione: preparazione, istruzione
lungi: lontano
mozzicone: cicca, la parte rimanente di una sigaretta
nocivo: dannoso
numero verde: servizio telefonico gratuito, usato da enti o aziende per informare il pubblico
predicare: diffondere
tabagismo: intossicazione cronica dall'eccessivo uso di tabacco
vizio: cattiva abitudine

12. CONCORSO DI NARRATIVA

aspirazione: ambizione, sogno
assessore: membro di una commissione regionale
bilancio: valutazione critica di qualcosa
consentire: permettere
consulta: consiglio, assemblea
coordinatrice: che coordina, organizza
giunta provinciale: organo esecutivo di provincia
iniziativa: attività pensata e avviata, idea
margine: estremità
narrativa: genere letterario

13. GLI ITALIANI LA MATTINA

al volo: in fretta
arrangiarsi: adattarsi, cavarsela
assegnare: attribuire, affidare
avanzo: resto, ciò che rimane
brioche: cornetto, croissant
confermare: rafforzare
confezionato: incartato, imballato
consumare: mangiare
elaborato: trasformato attraverso processi chimici

indagine: studio, ricerca
mattutino: quello del mattino
merendina: prodotto confezionato da consumare tra i pasti
merito: pregio, qualità degna di stima
netto: chiaro, deciso
proporzionalmente: in modo analogo, corrispondente
stupire: sorprendere

14. PUBBLICITÀ

animazione: movimento, vivacità
antifurto: disposizione di blocco di autoveicoli che impedisce il furto
attinente: relativo, riguardante
autorizzato: che ha l'autorizzazione, il permesso ufficiale
bagno turco: sauna
bruschetteria: locale in cui si possono mangiare piatti leggeri
consulente: assistente, chi dà consigli professionali
dal vivo: in diretta
furto: rapina
immobiliare: che opera nel settore di compravendita di edifici, terreni ecc.
installatore: che monta impianti, macchinari ecc.
intermediazione: comprare e vendere per altri

karaoke: gioco in cui si canta ascoltando solo la musica di una canzone
leader: capo
locale: posto di ritrovo, di divertimento
meritare: valere, essere degno di qualcosa
provare: sperimentare, testare
raccordo anulare: strada periferica di una città, circonvallazione
schermo: video
sfruttare: utilizzare
tenere a: volere bene a qualcuno, desiderare qualcosa

15. UMBERTO ECO PARLA DELL' EDITORIA

carta igienica: da toilette
distribuire: dare, assegnare
fare a meno di: fare senza
influire: esercitare influenza su qualcosa o qualcuno, incidere
macero: processo di rielaborazione della carta
massacro: sterminio, strage
prevalentemente: per la maggior parte, perlopiù
puramente: esclusivamente
tiratura: numero di copie stampate di libri, giornali, riviste

Glossario

voluttuario: superfluo, non necessario

16. RAFFAELLA CARRÀ

accorgersi: capire, rendersi conto
agguantare: acchiappare, prendere
commendatore: titolo onorifico che si usava per persone importanti
essere fritto: essere rovinato, finito
prolungare: allungare, prorogare
schiavitù: prigionia

17. L'UNIVERSITÀ DI PISA

abbiente: benestante, ricco
alloggio: abitazione, casa
ateneo: università
attribuire: dare, assegnare
consulenza: assistenza
inquilino: chi affitta un appartamento o una casa
locazione: affitto
orientamento: indirizzo professionale
predisporre: mettere a disposizione, allestire
reddito: guadagno, entrata
requisito: caratteristica, qualità
sussidio: aiuto, sostegno
tessera: carta, documento

18. BIBLIOTECHE ITALIANE ON LINE

archiviare: registrare un documento e metterlo in archivio
consultazione: ricerca
digitalizzare: elaborare in forma digitale vari dati, trasformare testi in forma elettronica
edito: pubblicato
eseguire: effettuare, compiere
formato: forma
funzione: possibilità
manoscritto: qualunque testo scritto a mano
rete: Internet, insieme di computer collegati tra loro
scaricare: trasferire dati da Internet sul proprio computer

19. VITTORIO GASSMAN

anemico: pallido
atterrare: abbattere
canaglia: mascalzone, cattivo soggetto
impersonare: rappresentare, incarnare
prepotente: arrogante, che si impone agli altri con le maniere forti
pugile: atleta che pratica la boxe
Purgatorio: luogo dell'aldilà in cui si trovano le anime dei defunti
sorpasso: superamento di avversari, di concorrenti, di macchine
sorsata: quantità di liquido che si beve in una volta
spassarsela: divertirsi, godersela
spavaldo: imprudente, audace
timore: paura

20. IN PALESTRA

attrezzo: strumento
concedere: dare, offrire
di punto in bianco: improvvisamente
dotato: fornito, provvisto
fisico: corpo, figura
ginnastica a corpo libero: senza pesi o attrezzi
in eterno: per sempre
invidiabile: eccezionale
sbloccare: liberare
sforzarsi: sottoporsi a eccessivi sforzi
sorta: specie, tipo

21. PROSCIUTTO, MA NON DI PARMA

ausilio: aiuto, contributo
contraddistinguere: caratterizzare
cooperativa: società, di solito tra produttori o agricoltori
D.O.P.: Denominazione d'Origine Protetta
marcato: accentuato, intenso
marchio: timbro, segno

Glossario

prospettiva: possibilità
salvaguardare: tutelare, difendere
saporito: gustoso
segmento: settore di mercato di un prodotto
stagionatura: operazione di invecchiamento a cui si sottopone un prodotto per migliorare la sua qualità

22. ACCADEMIA MILITARE

accedere: raggiungere uno scopo
cadetto: allievo di un' Accademia militare
caserma: edificio destinato all'alloggiamento e all'istruzione di militari
contendersi: competere, gareggiare
divisa: uniforme
hangar: capannone per il ricovero di aerei
parziale: limitato, ridotto
quota: livello
sopravvivenza: mantenimento, conservazione

23. AGENZIA MATRIMONIALE

celibe: uomo non sposato, scapolo
di rilievo: importante
divorziare: sciogliere legalmente il matrimonio
dolce metà: compagno, compagna

fine: elegante, signorile
gradevole: piacevole, bello
impiego: lavoro
max.: al massimo
prole: i figli in genere
solido: stabile, forte
vedovo: uomo a cui è morta la moglie
vincolo: legame

24. SCIOPERI

a scacchiera: sciopero articolato su turni e momenti diversi
aggredire: attaccare, assalire
andare a rotoli: andare proprio male
calare: abbassare, scendere
calvario: sofferenza, dolore intenso
degenerare: peggiorare, degradare
effettuare: realizzare
equipaggio: personale di bordo di un aereo o di una nave
hostess: assistente di volo
imbarco: far salire delle persone su un'imbarcazione
intervenire: intromettersi in qualcosa
investire: spendere soldi in qualcosa
minacciare: intimorire, spaventare
parolaccia: brutta parola, insulto

quiete: tranquillità, pace
rinviare: rimandare, prolungare
sbottare: esplodere, scoppiare
scalo: complesso di attrezzature necessarie all'arrivo, alla sosta e alla partenza di merci o passeggeri, in aeroporti, porti, ecc.
schifo: orrore, disgusto
scrutare: osservare, guardare
sollecitare: stimolare, incoraggiare
vergogna: pudore

25. LA STAMPA ROSA IN ITALIA

assecondare: soddisfare, accontentare
connaturato: radicato, innato
corna: riferito a persone, atto di infedeltà
costume: abitudine, consuetudine
cronaca nera: reportage di delitti
disgrazia: sciagura, catastrofe
enfatizzazione: esagerazione, enfasi
etica: morale
flop: fallimento, fiasco
forzatura: interpretazione esagerata
invenzione: informazione costruita, falsa
resa: copie non vendute che vengono riconsegna-

te
scoop: clamoroso colpo giornalistico
stampa rosa: l'insieme di riviste scandalistiche
tendenza: moda, stile

26. IMPATTO AMBIENTALE

alla pari: allo stesso livello
ammonimento: avvertimento
approfondimento: ulteriore esame
compatibile: adatto, che non disturba l'equilibrio
determinare: fissare, stabilire
diga: opera idraulica per regolare i flussi d'acqua con degli sbarramenti
elaborato: relazione
fauna: l'insieme degli animali di una determinata regione
fusione: sintesi, unione
ideare: concepire, creare
obbiezione: contestazione
opposizione: dissenso, rifiuto
prevenzione: difesa, tutela
priorità: precedenza, anteriorità
sorgere: alzarsi, apparire
sospeso: interrotto, rinviato
sottosuolo: strato di terreno che si trova al di sotto della superficie

spettare: dipendere da, riguardare
stabilimento: fabbrica, industria
tutela: protezione
vegetazione: l'insieme delle piante di un determinato territorio, flora

27. TELEFONINI

appostamento: attesa per sorprendere, agguato
clamoroso: straordinario, rumoroso
custodire: conservare, tutelare
erogazione: distribuzione
frode: truffa
fulcro: punto fondamentale, centrale
ghiaia: pietrisco, ciottoli usati per la pavimentazione di strade, giardini ecc.
giro d'affari: incassi, vendite di un'azienda
Guardia di Finanza: reparto della polizia che si occupa di reati finanziari e fiscali
hinterland: entroterra, zona periferica
imposta: tassa
indagine: inchiesta, ispezione
indispensabile: necessario
IVA: Imposta sul Valore Aggiunto, tassa
laterizio: mattone
perquisizione: indagine,

ricerca
prezzo stracciato: prezzo molto basso, molto economico
rimborso: restituire a qualcuno del denaro
scheda: carta telefonica
sequestrare: requisire
società di comodo: società fantasma, con attività illecite
tributaria: reparto di polizia, appartenente al corpo della Guardia di Finanza
truffa: inganno, frode
vantaggiosissimo: redditizio, proficuo

28. RAPINA A MANO ARMATA

accarezzare: toccare con affetto
approfittare di: sfruttare
bavero: la parte superiore della giacca
bracciale: gioiello portato al polso
casciare: cadere (forma dialettale)
cassaforte: armadio di sicurezza, dove si custodiscono valori
colpo: sparo, rivoltellata
cordless: telefono senza filo
costole: fianchi, le parti laterali del petto
ficcarsi: mettersi, introdursi
giaccone: giacca lunga e pesante

picchiare: colpire
procurare: provocare, causare
puntare: mirare
rapina: furto
rapinatore: chi commette una rapina
retro: la parte posteriore di una camera, in fondo
retrocedere: arretrare, andare indietro
rivoltella: pistola automatica, revolver
sbattere: battere, urtare
scavalcare: sorpassare, oltrepassare
sparare: esplodere colpi con un'arma da fuoco, tirare
strappare: levar via con la forza
svuotare: lasciare vuoto
testimonianza: dichiarazione, deposizione fatta

da un testimone
tiretto: cassetto

29. LUCIO BATTISTI: "EMOZIONI"

arrangiamento: accordo musicale
concreto: solido, reale
emozione: impressione, commozione
in diretta: dal vivo
in trasloco: in trasporto
modificare: cambiare
traversata: passaggio

30. EDUARDO DE FILIPPO: "NON TI PAGO!"

accampare: reclamare, esigere
chiamare in causa: chiamare in giudizio, in

tribunale
commettere: fare, compiere
imbrogliarsi: confondersi
mollare: lasciare, non insistere
pigliare: prendere
quaterna: combinazione di quattro numeri
ritirare: prelevare, prendere
spettare: appartenere, riguardare
tabaccaio: gestore di tabaccheria
testimone: persona che, davanti a un giudice, attesta qualcosa di cui è a conoscenza
truffa: azione illegale, imbroglio
tutelare: difendere

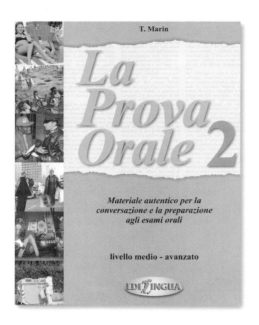

T. Marin

La Prova Orale 2

**Materiale autentico
per la conversazione
e la preparazione
agli esami orali**
Livello medio - avanzato

La Prova Orale 2 costituisce il secondo ed ultimo volume di un moderno manuale di conversazione per studenti d'italiano. Il libro mira a fornire quelle opportunità e quegli spunti idonei ad un esprimersi spontaneo e corretto e, nello stesso tempo, a preparare gli studenti ad affrontare con successo la prova orale delle Certificazioni delle Università di Perugia (CELI 3, 4 e 5), Siena (CILS 3 e 4) o altri simili, di cui segue la tipologia.

La conversazione trae continuamente spunto da materiale autentico (fotografie - stimolo da descrivere o da mettere a confronto, grafici e tabelle da descrivere, testi tratti dalla stampa, letterari e saggistici da riassumere, massime da commentare, compiti comunicativi da svolgere), corredato da una grande quantità di domande che motivano gli studenti, dando loro la possibilità di intervenire più volte. Un glossario, infine, facilita la preparazione della discussione.

La Prova Orale 2 può essere adottata in classi che hanno completato circa 160-180 ore di lezione ed essere usata fino ai livelli più avanzati. È stata disegnata in modo da poter essere inserita in curricoli diversi e in qualsiasi periodo del curricolo stesso.

Finito di stampare nel mese di agosto 2000